KU-351-119

MARCO PAPAZZONI

ART ON THE BEACH

happybooks

Marco Papazzoni vive e lavora a Modena.
Da anni si occupa di fotografia e grafica rivolta sopratutto
verso il settore editoriale. Ha realizzato e contribuito
alla realizzazione di vari libri d' immagine,
riviste, calendari e cartoline.
Nella fotografia il suo lavoro è rivolto in gran parte verso
la ricerca a tema.

Marco Papazzoni lives and works in Modena.
He has been working for many years in photography and graphics,
in particular for the publishing sector.
He has produced and participated in a number of graphic books,
periodicals, calendars, and postcards.
His photographic work concentrates on the development of themes.

Collaborazioni:

Fotografia: Fabio Caleffi
Consulenza: Paola Papazzoni - Valeria Cattaruzza
Testi: Ferruccio Farina - Daniele Bondi
Traduzione: Ginnea Studio
Supporto informatico: Luigi Maggioletti
Impaginazione e grafica: Studio MP

ISBN 88-86416-23-7

PUBLISCHER:
HAPPY BOOKS
PO BOX 541- CPO
41100 MODENA - ITALY
Tel. ++39 59 454219
Fax ++39 59 450343
www: happybooks.it
e-mail: happy@happybooks.it

[c]ART ON THE BEACH
HAPPY BOOKS
All rights reserved

Printed in Italy
June 2000
Stampa: Grafiche Jolly - Modena

INTRODUZIONE

La spiaggia ha avuto con le arti figurative un rapporto privilegiato fin dalla sua invenzione, da quando, dalla metà dell'Ottocento, per la cultura occidentale è diventata quel luogo ideale tra terra e mare dove l'uomo moderno può rigenerarsi nello spirito e nel corpo al di fuori delle convenzioni della quotidianità.

Posando lo sguardo sulle marine e sulle bagnanti di Boudin, Fattori, Matisse, Turner o Constable, e poi continuare con quelle di Braque, Picasso, Valloton, De Pisis o De Chirico, solo per citare alcuni degli esempi più noti, ben si capisce come la pittura con soggetti di spiaggia abbia accompagnato i successi di tante riviere dalla Manica al Mediterraneo, dall'Atlantico all'Adriatico. Un genere che ha prodotto una serie affascinante, importante e celebre, di ritratti dei piaceri balneari dell'uomo moderno. Ritratti a volte incantati e romantici, a volte gioiosi e spensierati. Un genere che ha visto nascere gallerie e musei "dedicati", come il Beach Museum of Art della Kansas State University, dove, accanto alle tele dalle firme altisonanti, si espongono anche quelle di comuni turisti trasformati in cantori delle spiagge fascinose che hanno accolto le loro vacanze.

Per i pittori, celebri o dilettanti, gli ingredienti da combinare sono stati, e sono, praticamente sempre gli stessi: mare, sole, cielo, sabbia, caldo, bagnanti - preferibilmente donne e belle - e festosa chiassosità, conditi di fantasia e di sentimenti a seconda dei luoghi e dei tempi. Ingredienti che sono i medesimi, ma non i soli, di una "Beach Art" poco celebre e poco celebrata. Una Beach Art che come arte neppure si propone, ma tale diventa quando della spiaggia e delle marine si fa espressione coerente, ne identifica e ne esalta il carattere e l'anima.

E' l'arte dei pittori-bagnini, dei pittori ombrellonai, dei grafici pubblicitari da bagnasciuga che, con le loro insegne e le loro fantasiose decorazioni e architetture, animano gli stabilimenti, le cabine, le tende e i gazebo delle Riviere.

Un'arte, un genere, che sfugge all'occhio comune. Infatti è difficile, nel quotidiano scendere in spiaggia alla ricerca del proprio bagnino o di qualche indicazione per i divertimenti, cogliere in pieno il significato del concerto di colori che invade la costa con una quantità e una diversità di forme e di stili, che non sembrano permettere un censimento ragionato. Impresa impossibile. Impresa alla quale, invece, Marco Papazzoni, che uomo di mare o di marina non è, ma è uomo arte, si è invece cimentato esplorando e indagando quello straordinario territorio che, per il suo DNA a base di fantasia e di libertà, può essere considerato un vero e proprio museo/galleria di Beach Art all'aria aperta: la Riviera Romagnola.

Ed è riuscito a sintetizzare, in un efficacissimo puzzle, il repertorio quasi infinito di citazioni e di interpretazioni che vanno all'esotico all'avventuroso, dal mitologico all'orrido, dal fumettistico al tecno. Immagini, fantasie in libertà, che presentano spesso accostamenti impossibili e sorprendenti e decisamente kitch, ma, proprio per questo, familiari e rassicuranti.

Nelle migliaia di insegne e di architetture a base di polene, meduse, cavallucci marini, delfini, squali, palme, gabbiani ed eroi pre e post pokémoniani, Papazzoni ha colto l'essenza della Beach Art che determina, anima e caratterizza lo scenario di quei sessanta chilometri di costa gioiosa che sublimano l'idea di spiaggia e di riviera.

Non solo, ha saputo leggerne, divertito, l'unico forte messaggio: Buona Vacanza.

Ferruccio Farina

Siti utili:
www.balnea.net
www.ferrucciofarina.it

INTRODUCTION

The beach has always held a special place in the figurative arts ever since it was "invented" in the mid eighteen hundreds. For western culture the intermediate strip between land and sea has become the ideal location for modern man to regenerate spiritually and physically detached from everyday conventions. If we considering the paintings of the seaside and bathers by Boudin, Fatori, Matisse, Turner, and Constable, and more recently Braque, Picasso, Valloton, De Pisis and De Chirico, just a few of the better known examples, it is obvious how much success beach subjects have enjoyed, at the innumerable seaside resorts from the Channel to the Mediterranean Sea, from the Atlantic to the Adriatic.

This genre has produced a fascinating series of significant representations of modern man at recreation, sometimes charming and romantic, other times joyful and carefree. Whole galleries have been dedicated to this genre, like the Beach Museum of Art of Kansas State University where, alongside canvases signed with high sounding names, pictures by normal tourists are exhibited, celebrating the beautiful beaches where they passed their holidays.
The elements embraced by the painters, famous or amateur, have always been basically the same: sea, sun, sky, sand, heat, and bathers (in particular attractive women), and festive noise, blended with imagination and feelings in relation to the place and period.

These are the same but, not exclusive, elements of another little known and rarely acclaimed form of Beach Art. This is a phenomenon that, while never aspiring towards a high artistic status, achieves this by becoming the coherent expression of the beach and seaside, embodying and celebrating its spirit. These are the paintings of the bathing attendants and umbrella men, the graphic advertisers of the shoreline who with their signs, imaginative decorations, and constructions enliven the bathing centres, beach cabins, tents, and gazebos of the Riviera. This art is barely noticed by the public, passing by on their way to the beach each day in search of their bathing attendant or some form of entertainment. Few fully appreciate the concert of colours that invade the beach in a variety of forms and styles that seem to deny rational order.

It was this seemingly impossible challenge that inspired Marco Papazzoni. He approached it not as sailor or even a beach dweller, but as an artist, exploring the extraordinary landscape of the Romagna Riviera, which for his imaginative and free spirit was an open air gallery of Beach Art. He succeeded in synthesising a very complex jigsaw puzzle of the almost infinite range of allusions and associations, exotic and adventurous, mythological and horrific, from cartoons to techno images. This freedom of imagination produces many improbable and surprising combinations, decidedly kitsch, but familiar and reassuring at the same time.
From the innumerable signs and creations based on figure-heads, jelly-fish, seahorses, dolphins, sharks, palm trees, seagulls, pre and post Pokémon heroes, Papazzoni has captured the essence of the Beach Art that animates the sixty odd kilometres of festive coastline, symbolic of the beach resort concept.
And more than this, he was able to decode the single powerful message: "Have a nice holiday!"

Ferruccio Farina

Usefull sites:
www.balnea.net
www.ferrucciofarina.it

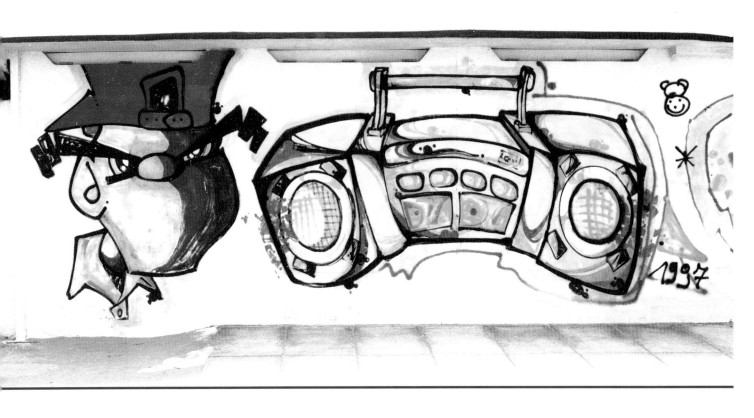

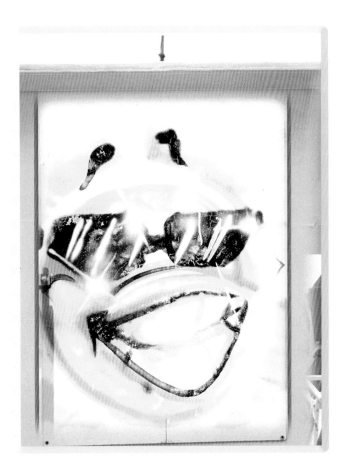

WINDSURFERS RIMINI
SINCE 1986

BAGNOONDA43

BODY GLOVE INTERNATIONAL

WERTHER
CERVIA·SPIAGGIA·180

BAGNO ANNA 95

GELATI SOFT

COCOMERI

COCKTAIL
PANINI

T TABACCHI →

ANDREUCCI BEACH

RIVOLGERSI AL BAR
AN DIE BAR WENDEN

CartaSì VISA

← SERVIZI GRATUITI:

BEACH VOLLEY BEACH BASKET CALCETTO

RACCHETTONI BABY CLUB ANIMAZIONE

EVEREST
BEACH

caffè

125

Bagno
CENTRALE

DOCCIA CALDA

LEO *Beach 87*

TAVOLA FREDDA

TV - SAT

CESENATICO

RIMINI

MISANO

RICCIONE

CATTOLICA

CERVIA

"La Villa Beach"

Spiaggia 13
ALCIDE

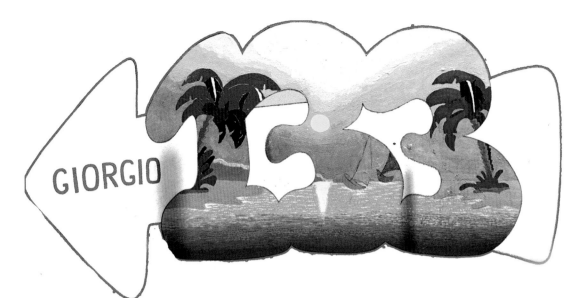

GIORGIO 133

Perla Blu

AFFITTI

AL BAR

BUONA VISTA
Fantini
182

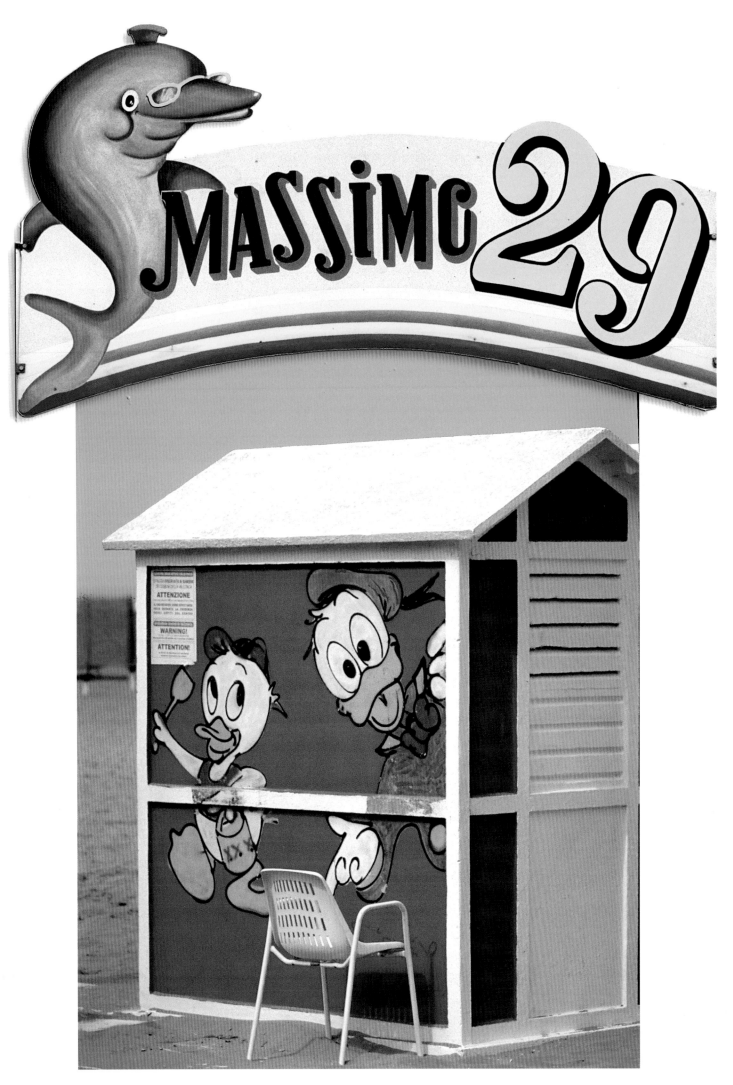

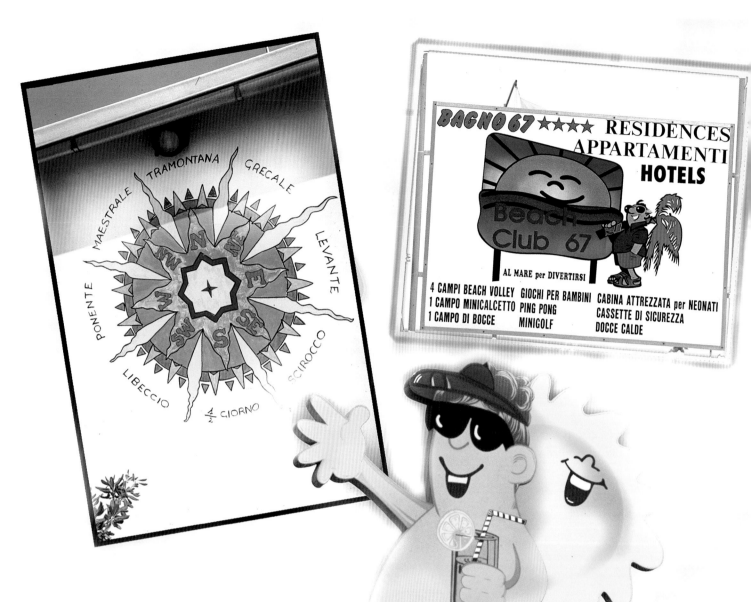

MAESTRALE TRAMONTANA GRECALE

PONENTE LEVANTE

LIBECCIO SCIROCCO

½ GIORNO

BAGNO 67 ★★★★ RESIDENCES APPARTAMENTI HOTELS

Beach Club 67

AL MARE per DIVERTIRSI

4 CAMPI BEACH VOLLEY   GIOCHI PER BAMBINI   CABINA ATTREZZATA per NEONATI
1 CAMPO MINICALCETTO   PING PONG   CASSETTE DI SICUREZZA
1 CAMPO DI BOCCE   MINIGOLF   DOCCE CALDE

BAGNO 297
ADRIANO

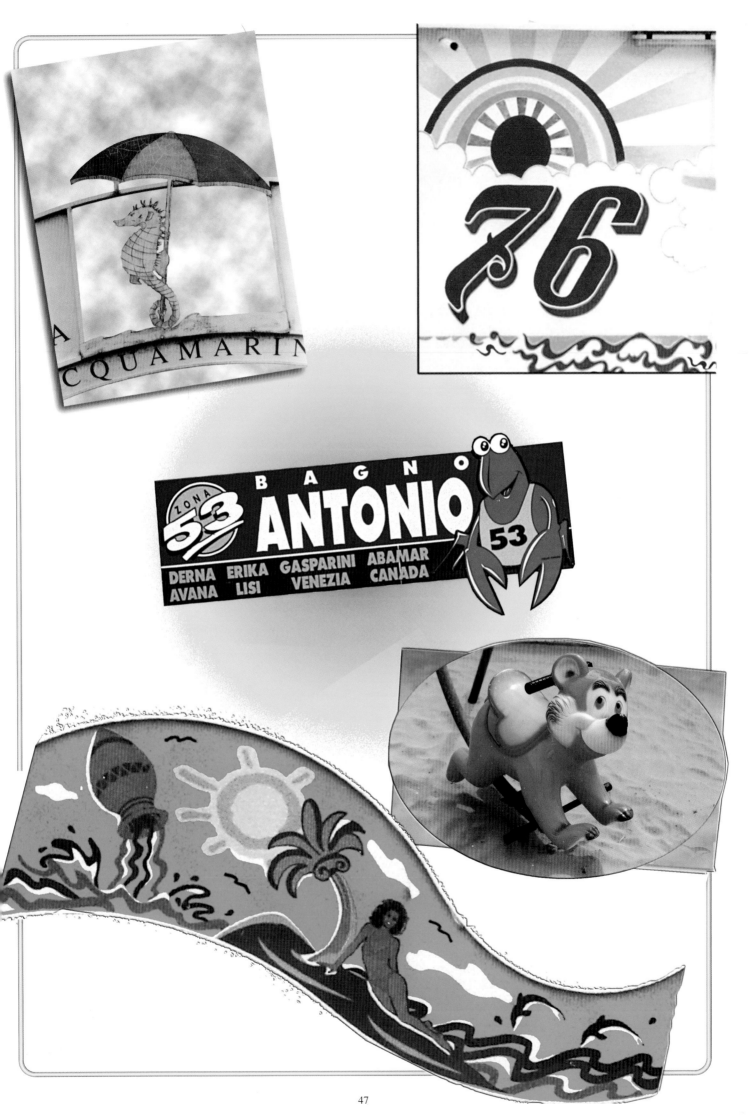

BAGNO HOLIDAY

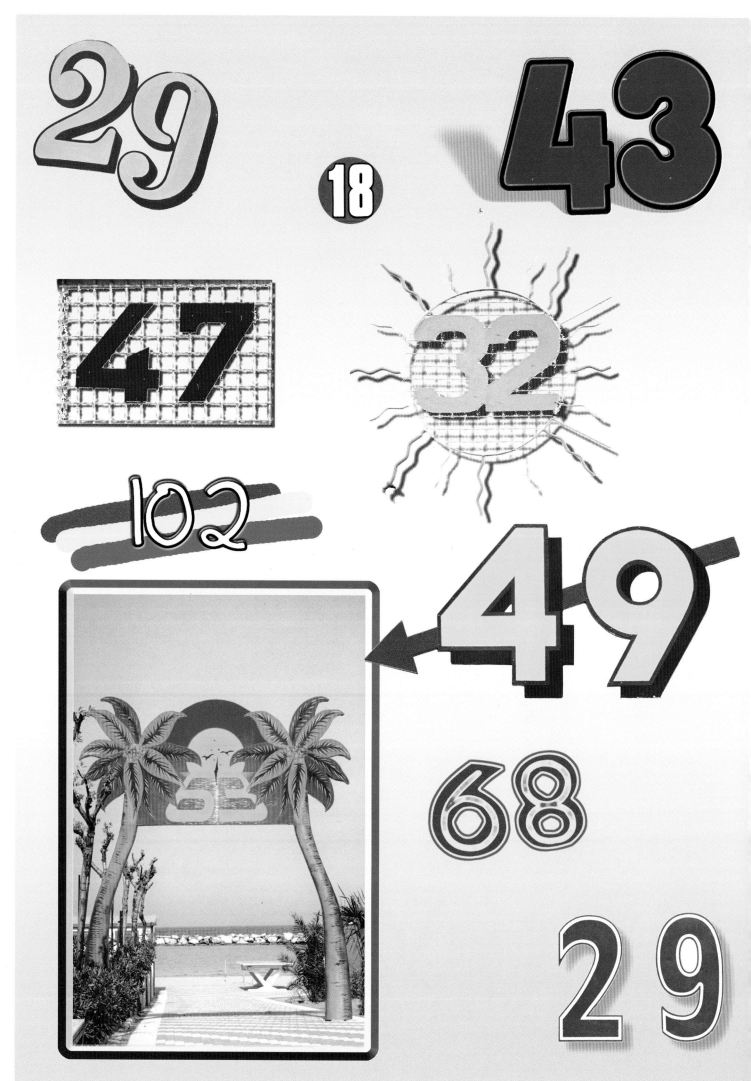

BAGNO SERGIO
111
138
23
45
52
10
ZONA 34
35
RES
SOVRANA ASIA PICK NICK
CORALLO TAORMINA
BUONE VACANZE
FAUSTO
100
52
78
BAGNI MAURO
H.TERESA _ CECCARINI 140

ANDREUCCI BEACH

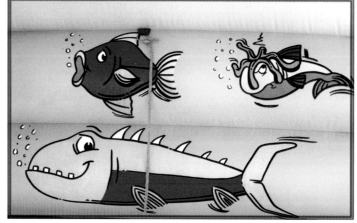

Bagno

DORIA

baby park

PINETA

BAGNO
17

La Spiaggia

neon rimini

36

NICOLETTA

...LA TUA ISOLA FELICE !!!

Benvenuti a Marebello

n° 200 Flores

zona **Dre Marena** 36

OSTARIA delle Donne

114

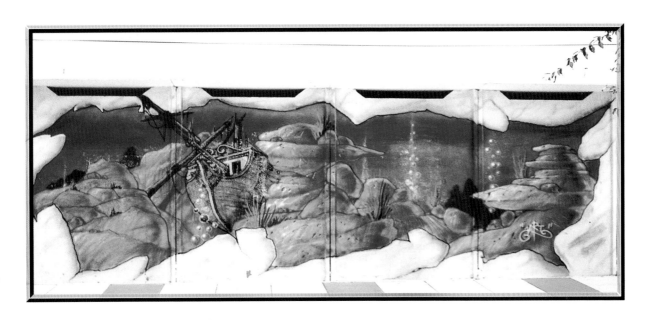

CAFFE **Giovannini** RIMINI

BEACH RESTAURANT

CAFFE **Giovannini** RIMINI

GEO - BEACH Bar

(50)

BAGNO VENETO

BAGNI 24 Hotel MADRID

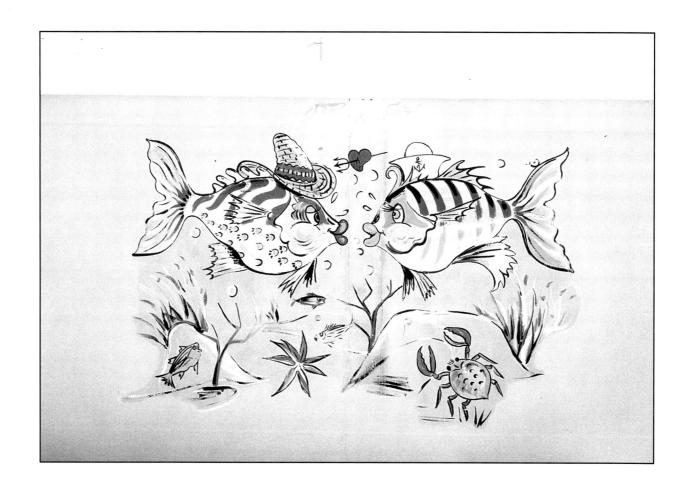

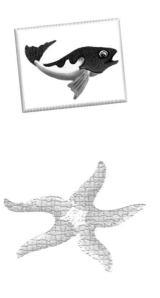

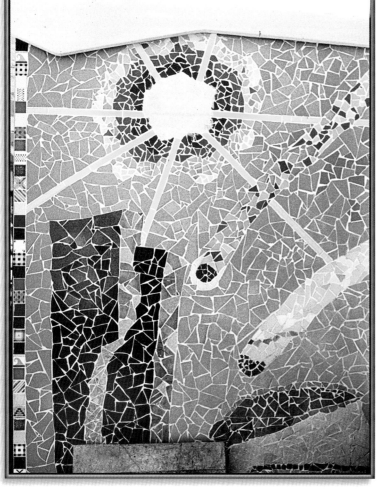

RISTORANTE
PIZZERIA
da Tonino

PARCO ACQUATICO

BAR BIKINI

BEACH RESTAURANT

ZONA SPIAGGIA 134

DISCO PUB

BEACH VOLLEY

ANIMAZIONE · MINI CLUB

Beach Planet
RICCIONE

BANANA BOAT

CATAMARANI

GITE IN MARE

SCUOLA di WINDSURF

di VELA e NUOTO

MOTO D'ACQUA · JET SKY

PARAFLY · SCI NAUTICO

BAGNO · GLORIA · ZONA · 87

Basket Playground
Palestra Fitness
Beach Volley
Circolo Velico
News Gazebo
Spogliatoi Dressing rooms

Stabilimento Balneare
68
Rimini Beach Italy

Lettini e Ombrelloni
Barriera Antivento
Bocce Bowls
Ping Pong
Children Playground
Docce calde Hot showers

BEACH SPORTS

RIVERGREEN GOLF

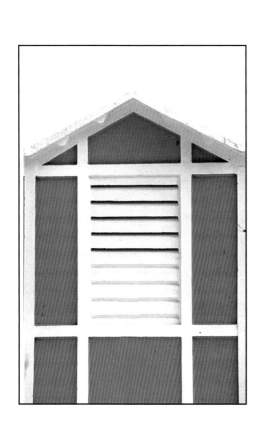

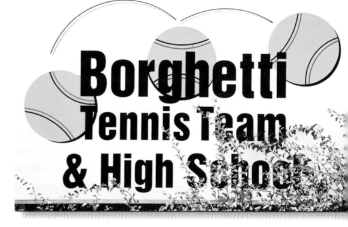

Borghetti Tennis Team & High School

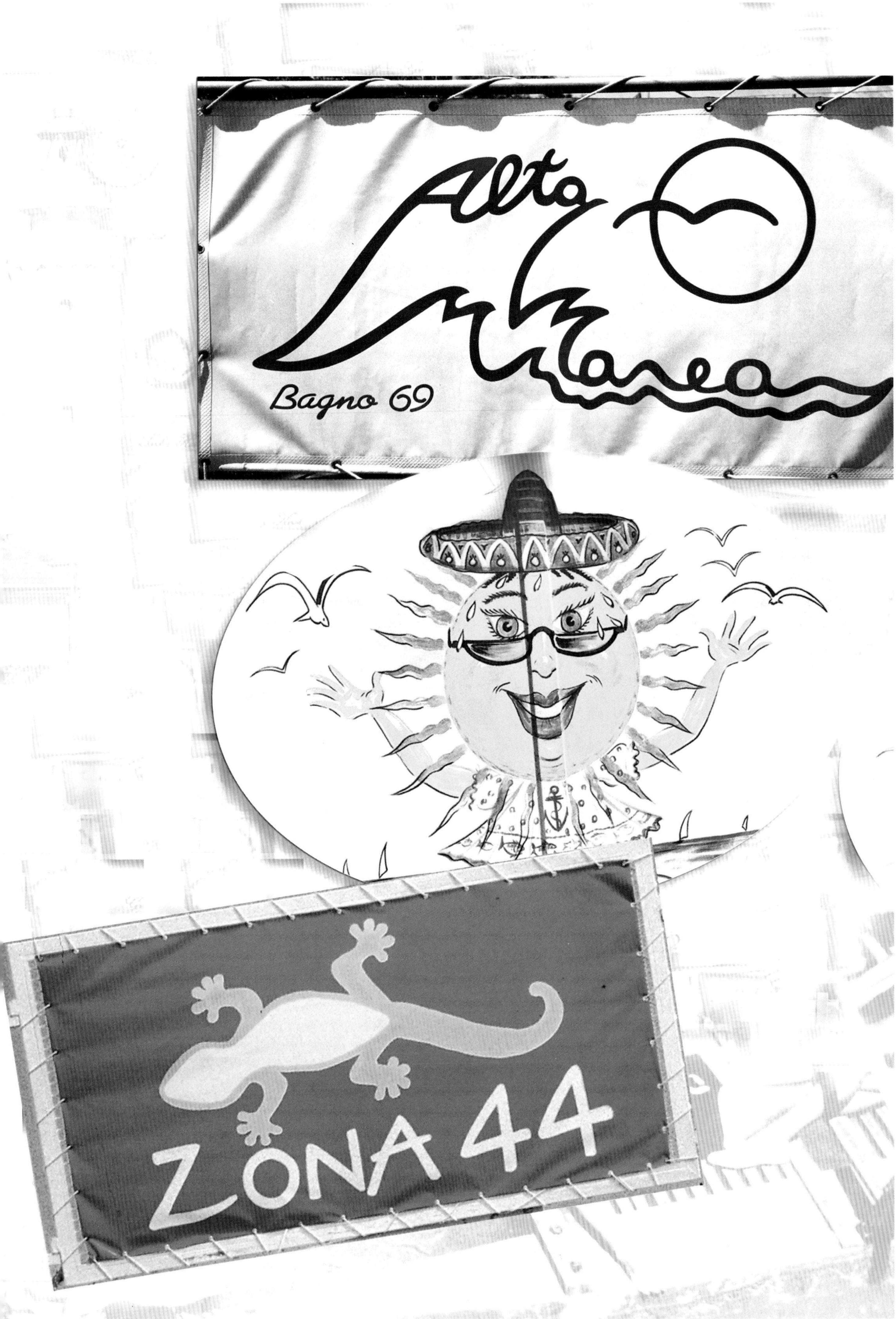
Alto Marea
Bagno 69
ZONA 44

BAGNO ANDREA

74

BRUNY
ARCADE

PAESANI

MASSIMILIANO
106

BAGNI 101 GILDO

SAN MARCO APOLLO YORK PIATTO D'ORO KURSAAL

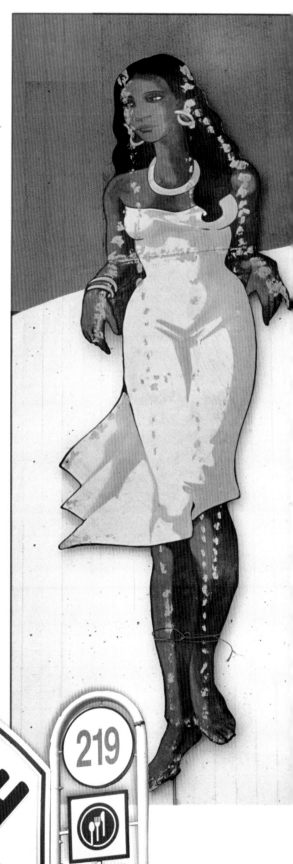

IL TRABACCOLO
RISTORANTE
Tel.
615202

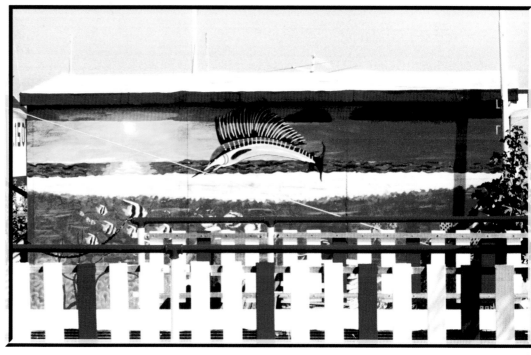

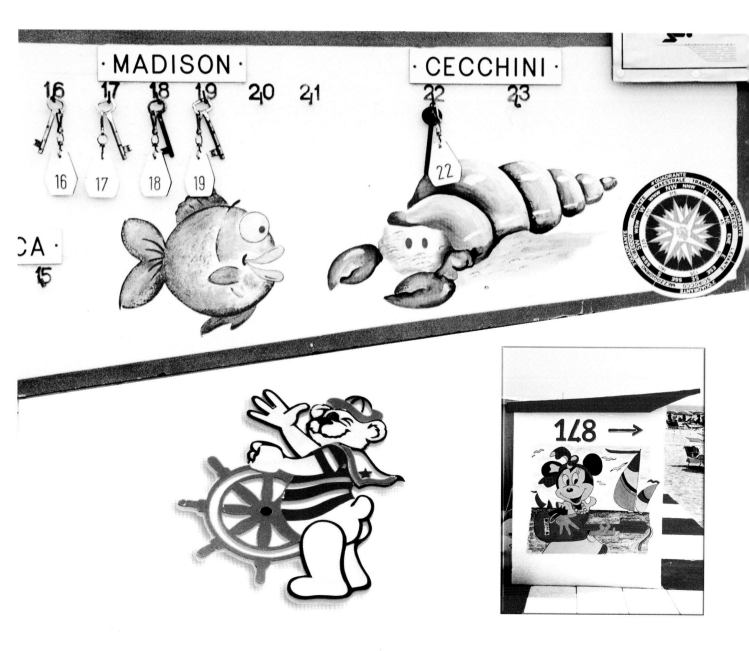

E la Romagna fu!

"Senti un po', Brian, sei mai stato in Romagna?"
"In Italia!"
"Ah, in Italia... No, quando sono andato in Italia, dieci anni fa, ho visto soltanto Venezia, Roma e Firenze..."
"Capisco..."
"Perché, mi sono perso qualcosa di interessante?"
"Interessante? Ah, ah, ah! Interessante...!"
"Beh, che c'è tanto da ridere?"
"Scusami, Brian, non intendevo prenderti in giro... D'altronde, se non se mai stato in Romagna, non è mica colpa tua!"
"Ehi, Bill, mi stai incuriosendo... Avanti, dimmi, che cos'è che ti ha tanto affascinato di questa *'Romagna'*?"

"Sapevo che saresti arrivato a pormi questa domanda. Ecco perché ti ho portato questo libro..."
"Carino... Di che si tratta?"
"E' un libro di immagini rubate a questo litorale senza pari... Poiché io non sono mai stato in grado di descrivere a parole le sensazioni che ho provato nei miei numerosi viaggi, quando ho trovato questo libro ho subito pensato che regalartelo sarebbe stato il miglior modo per farti avvicinare alla molteplicità di impressioni che ne ho ricavato..."
"E' molto gentile da parte tua... In effetti è molto suggestivo... Quanti colori... e come sono combinati bene... Beh, si sa che gli italiani hanno un certo gusto... poi sono fantasiosi, creativi,..."
"Creativi mi sembra la parola giusta... In Romagna poi tu assisti al connubio fra creatività e accoglienza. Sono talmente gentili, anzi, cordiali, e poi così esuberanti... Ti giuro, Brian, che hanno fatto di tutto per farmi sentire a casa mia: e ci sono riusciti!"
"Certo che ne hanno di inventiva questi qui, eh? Basta guardare la varietà di immagini di questa raccolta, la scelta delle linee, l'abbinamento delle simmetrie!"
"Se poi vivessi di persona l'innato senso di attenzione che hanno per il singolo individuo, la loro generosa disponibilità... dai, in fondo si intravedono anche sfogliando questo testo..."
"Devo ammettere che hai ragione... questa gente non sa solo accostare i colori e tratteggiare le linee in modo sapiente, ma deve avere anche un temperamento gioioso, probabilmente intessuto di un'ambiziosa propensione verso - non so neanche come dire - verso un costante auto-miglioramento, o qualcosa del genere... Lo vedo dalla simpatica sobrietà dei disegni..."
"Hai indovinato in pieno! La loro fantasia è perfettamente controbilanciata da un raziocinio così acuto che li conduce a convogliare l'energia del loro innato entusiasmo nel proficuo canale della voglia di primeggiare... E' difficile stargli dietro, a questi qui! Me lo hanno detto anche diversi italiani di altre regioni..."
"E va bene, mi hai convinto: la prossima volta vincerò la mia fobia di volare e verrò anch'io a vedere dal vivo le allegre tinte che vedo in queste fotografie e che a questo punto immagino di ritrovare nei *romagnoli* (si dice così, non è vero?)... In ogni caso ti ringrazio di cuore: è il più bel regalo, di certo il più originale che mi sia mai stato fatto... Se lo vedesse mia sorella sono certo che me lo ruberebbe..."
"Come mai?"
"Non lo sai?, Sharon lavora come grafico..."
"Ah sì? Non lo sapevo, ma penso proprio che tu abbia ragione. Anzi, mi è venuta un'idea geniale!"
"E cioè?"
"Ordiniamo, chessò, cento copie di questo libro e lo rivendiamo a tutti i grafici di New York!"
"E perché non a tutti i grafici degli Stati Uniti?"
"Esatto: Evviva la Romagna e chi l'ha creata!"

Daniele Bondi

Beautiful Romagna

"Hey, Brian have you ever been to Romagna?"

"No Bill, where is it?"

"Italy"

"Oh, Italy... No, when I went there ten years ago I only visited Venice, Rome and Florence."

"Right"

"Why, did I miss something?"

"Miss something? I suppose you could say that...."

"Are you taking the Mickey?"

"Sorry, I didn't mean to. It's not your fault you never went there."
about this whatitsname, Romagna?"

"I knew you'd ask me that, so I brought this book with me."

"Cool. What's it about?"

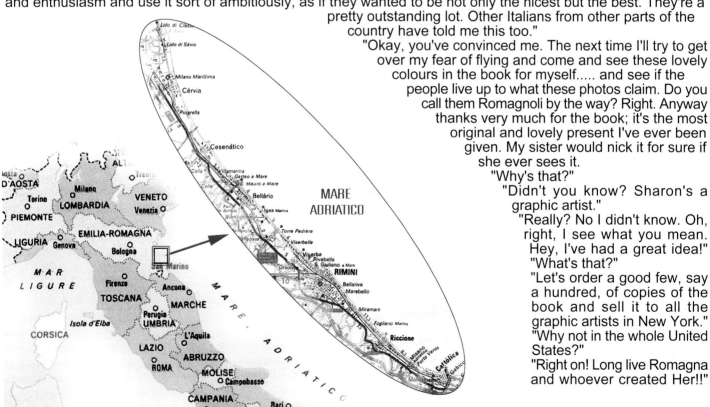

"It's a book of pictures of the Romagna coast. Great. I haven't got the gift of the gab, and I've never been able to put into words what I've felt on my travels. So when I saw this book I thought I'd get it for you so that you could understand at least a bit of what I mean when I talk about the place.

"Cheers, that's really nice of you. Yes it's really good, look. Colourful, nicely set up too. The Italians are known for having a certain taste. And for being imaginative and creative too."

"Creative, yes, that's what I would have said. Romagna is especially good at putting creativity and warmth together. They are all so nice and friendly, but exciting too. I tell you, Brian, they really tried to make me feel at home, and they succeeded too."

"Yes, you can see they're pretty inventive, can't you? Just look at the variety of pictures in this collection, the lines, the symmetries."

"And if you only knew what consideration they show for the individual person, their general willingness...well, you can see it a bit from flicking through this book, can't you?"

"Yes, I have to admit.... they're not only good at putting colours together and setting it all out well, they must be a really cheerful lot as well. It looks as if they are really into improving themselves too, or something like that. There's an attractive kind of understatement in these pictures."

"Yes, you got it! This imaginativeness of theirs is balanced out by a kind of rationality - they take their energy and enthusiasm and use it sort of ambitiously, as if they wanted to be not only the nicest but the best. They're a pretty outstanding lot. Other Italians from other parts of the country have told me this too."

"Okay, you've convinced me. The next time I'll try to get over my fear of flying and come and see these lovely colours in the book for myself..... and see if the people live up to what these photos claim. Do you call them Romagnoli by the way? Right. Anyway thanks very much for the book; it's the most original and lovely present I've ever been given. My sister would nick it for sure if she ever sees it.

"Why's that?"

"Didn't you know? Sharon's a graphic artist."

"Really? No I didn't know. Oh, right, I see what you mean. Hey, I've had a great idea!"

"What's that?"

"Let's order a good few, say a hundred, of copies of the book and sell it to all the graphic artists in New York."

"Why not in the whole United States?"

"Right on! Long live Romagna and whoever created Her!!"

Daniele Bondi